RUNGA

RUNGA

Mícheál Ó Siadhail

An Clóchomhar Tta
Baile Átha Cliath

44739

An Chéad Chló 1980

An Clóchomhar Tta

Leis an údar céanna

AN BHLIAIN BHISIGH

Dearadh : Syd Bluett

Grianghraf : Aidan Dunne

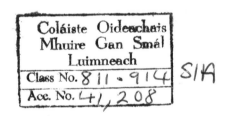

Dundalgan Press a chlóbhuail

AN CLÁR

RUNGAÍ

Dhuitse aríst

RÉAMHRÁ

Seo ar ais mé
Más ar éigin é
Ar stropa
Ag an naoú bé.

Tharraing mé tamall uait
Ar an trá fhalamh
Ar thóir mo phléisiúir
Ar an bhfaríor géar.

Níor fheil an t-adhaltranas.
Rofhada muid ar scáth a chéile,
Rofhada muid i bhfíochán a chéile
Is dhá réir sin

Seo aríst é
Madadh leanbh mo chroí
Ar do stropa síoraí
A naoú bé!

I

RÓPAÍ

Andante

AN DAMHSA

Fuarann an chuid amuigh.
Gníomh mo dhíchill é
Sníomh aríst ar ais
Sa damhsa.

Gan an dúil sa damhsa,
Gan cur leis an gcurfá
Cúis ní dhéanfá.
Dhá fhoireasa sin, a ghadaí,

Bás beag é gach oíche,
Lasaras ar éigin ar maidin,
Ag do chuid mugaidh magaidh
A dheartháir don chodladh!

Tá mo chuid ag fuarú.
Cnáimh mo dhíchill é
Snámh aríst go dtí na claidhmhí
I lár an damhsa.

NÓIMÉAD

A nóiméid álainn fhánaigh
Cheal nach ndéanfá beagán moille,
A lúib i lár mo shlabhra,
A ribín aeraigh ar chailín samhradh
Ag fuadach le gaoth.

Ní iarraim ach beagán spáis.
Ní mór liom éacht ná gaisce
Ach thú féin féin a bhlaiseadh
Aon tseoid amháin chun cruinnis
Thrí fhuinneoig an tsaoil.

Ar fáschreideamh thú ag sméideadh,
A nóiméid, cén fáth a suím amhlaidh
Is ribíní an tsamhraidh ag fonóid fúm,
An féar ag fás in áit na mbonn
Thar mo chuimhne?

Ó chóirigh tú an leaba seo
Loighfidh mé inti.
Gach dalta mar a oiltear
Ar t'fhuinneoig fhairsing, a nóiméid fhánaigh
Thall ag gáirí fúm.

COTHROM LÁ BREITHE

Sin bliain shlán agat ar Schubert
Bliain faoi bhláth roimh chéasadh Chríost.

Aisteach linn th'éis deich mbliana díchéillí
Gur gaire na déaga is fiche do na déaga.

Ar domhantharraingt é ar deireadh dár sníomh
Nó an fáinne staire á ghearradh sa mblaosc;

Ar gadaí na haoise é lena chogar ceilge
Nó an ciorcal cúnta taobh istigh de chiorcal eile;

Bliain solais eile ar bhealach chun na héigríochta
Nó coiscéim coiligh chomhraic chun na gaoithe?

Cogar, ar dtús, cé acu fírinne ghlan is fírinní—
A thomhais sin ort inniu, a dhuine chríonna!

ATHAIR

A athair cé déarfas mé leatsa, a dhílis,
Ach go raibh athair i ndiaidh athair i do dhiaidh;
Oiread athaireacha is a chuir m'óige craicne dhíom.

A athair chóir a d'fhigh i nganfhios
Mo thórainn le slata tomhais is maoraíocht,
An cró nach cró é ach ón taobh istigh.

Nach ionann coisint agus fonn briseadh thríd
An mblaosc; ansin gan stiúir an bhradaíl
An bhúrláil ó mhúnla go múnla faoi dhriopás

Thrí thine an aimhris a chruthaigh dhúinn an chinnteacht,
An tsaoirse don mhúnla is dhá mhacasamhail.
A athair, a chomrádaí, cé déarfas mé leat?

[13]

MAC

A chomhairle chneasta féin
Do mhac céasta an bhambairne
A chaith laethanta ag braiteoireacht;
Rofhada a staidéar ar thairseach
A bhrath ann, a thoib as;
Ab 'eo é an fál go haer?
A mhaicín, cá bhfuil do mhisneach
Ar bhád bán na haimsire
Le seoladh díreach ar an aighre
Ar shoitheach tráicht gan oighre?

Siod é anois agat Caoimhín
A d'imir ort tráth le ginín
Nó dhó. Tá Anna ag méadú,
Ní féidir gurb é leanbh Chaitlín
An stóicín údan. D'éalaigh
Leathlíne ort is thú ar snámh
Ó inné go dtí amáireach.
An ballséire gan a ghiolla,
Gan an t-ala féin a fhastú—
Maran thusa mac an bhambairne!

Maran thusa mac an mhí-áidh
Nar leor leis aon líne amháin,
A shantaigh trácht na hasarlaíocht
Le léim a chaitheamh thar líne amach,
Na sé líne roimhe is ina dhiaidh.
Maran seoltóir ardintinniúil thusa
Ag déanamh 'bhfalach bhíog
Le do dhoiséinne áirithe línte,
Do haigh-deá beag amach anseo
Do shliocht mhac Thadhg Uí Rodaigh.

SORCAS

Cleasaí sorcais é gabhalscartha
Ar a dhá bheithíoch marcaíocht
Eachaín ghiongach na daonacht,
Capall dodamach na hoibre.

Dingliseach an ealaíon í in airde
Timpeall ina bhogshodar leo
Ceachtar acu ní hansa leis
Faitíos aon scaoll a chur iontu.

'Mise an nádúr, mise an gean
Lig liomsa,' arsa an eachaín,
'Mar ús iolraidh rathaímse
Raithneach nó clann clainne.'

'Muise, éist léi,' adeir an capall
'Liomsa sodar sásta na hoibre
Liomsa an staidéar, an gaisce
Is slat tomhais don aimsir.'

Buailtear bosa don chleasaí
Timpeall ina bhogshodar leis
I gcois dá leith ar an aoibhneas
Marach an scroig san adhastar.

GAINEAMH

Gaineamh atá san aimsir
Ar ghrinneall abhann.
Thall tá fir an ghaisce
Ag glaomaireacht is ag feadaíl;
I bhfus na mná ag cogarnaíl
Na sciortaí síoda ag priosarnaíl
Thar an uisce anonn.

Tá tuiscint ann nach dtuigtear,
Tobar nach féidir a thomhais,
Go dtiocfaidh bláth bán ar airne
An lá inné ar ais.

Tobar beannaithe na féile
Toil na mná don ghrá;
Billeoig bháite ar a bharr
An cion gágach fireann.

Féachadh tráth lena thomhais
Ach roghar dúinn féin a bhí
Ár scáile umhal féin a facthas—
Tá an tobar seo gan tóin.

Gaineamh atá san aimsir
In intinn an leannáin
Athchiorclaítear aois is óige
Póstar athuair gné is ábhar,
Nua as an bpíosa, nua ón snáth;
Tá an saol aríst ina ghasúr
Is an gaineamh ina am.

CIORCAL

Céard é féin faoin gciorcal
Ariamh ar an bhfireannach caillte;
Le gach cor as corróig na beatha
Siúd í mo bhrionglóid i mbarr a gealta.

Siúd í mo bhrionglóid ag lúitéis
Le solas gach coinneal bhuí,
Siúd é mo leamhan ar struiféad,
Síoraí ar an taobh amú.

Nach furasta do na mná
A stangaireacht leis an saol seo,
D'oighrí dílse na broinne
Ansiúd ar an taobh istigh.

Céard é féin i dtaobh an chiorcail
A bhronnanns uaisleacht ar gach pointe
A bheireanns an líne cruinnthimpeall
Is timpeall abhaile slán.

CÉ DÉARFÁ?

Cé déarfá leis na seangáin nar éirigh bréan
Den réabadh íseal ar fud an mhóta
Den tséathlú síoraí ar shon na cúise
Is gan an réabhlóid choíchin i gcrích.

Féach nach ndeachaigh réaltóig féin ar seachrán
Nar dhamhsaigh ariamh leis an éag ina baclainn
Ach seasta ag greadadh lúrapóg lárapóg leo
Bealach fairsing na bó finne síos.

Fuílleach céille atá ag réalt is feithide.
Mar sin féin, bíodh truaí acu don chréatúr
A bhain spleabhta géar as úll an tsinsir—
A chéas é féin ar chrois a réasúin.

[17]

CHOÍCHIN

Choíchin ná fiafraigh cén fáth
Ná ceistnigh an deor áthais sa tsúil
Nuair a chruinnítear cairde i t'intinn
Ó na blianta a bhain barr dhá chéile
I mbéal do mhaitheasa.

A dhuine ná fiafraigh cén t-údar
A ndónn an tsioc is an tine
Le caitheamh i ndiaidh long chumhamhar
Nar tapaíodh go Valparaiso is thú
I mbarr do mhaitheasa.

Go brách ná fiafraigh cén fáth—
Marab iad na deora i súile t'athar iad
Is a chuimhne dhá mhealladh dhá bhuíochas
Ag macnas is ag damhsa síorthimpeall
Ar dheireadh na maitheasa.

SANTAÍM

Tá mé dubhthinn den riail
Tráth na maidine is tráthnóna
Teannta i m'fhear leide
I gcúinne ciúin an stáitse.
Cá bhfuil na tíreacha coithíocha?
Cá bhfuil tír úd an tsneachta?
Cá bhfuil Cleópaitre is a nathair nimhe?
Santaím an saol.

Santaím an talamh danartha a réabadh
Mo chartúr féin a chartadh
Go seasta siar is aniar
Sna bólaí beannaithe céanna
Go mbéarfar ar an líne a lúbadh
Nuair a cruinníodh muid i mbroinn;
Go bhfeicfear an páiste i súil an tseanóra
I súil an linbh an chríonnacht.

[18]

NÍ CHEAL NAR THUIG SIAD

Ní cheal nar thuig siad ariamh
I sáinn idir fonn agus scil
Feallsamh, polaiteoir nó naomh
Uafás seo an cheardaí.

An feallsamh faoi éirim seoil
A thug air féin an domhain
Ar snámh anois a oilteacht
Gan gaise an aimhris faoi.

An polaiteoir lá a choip
An chóip le fearg dhearg
Roshlíbrí anois a dhóchas
Don réabhlóid rialta laethúil.

Lá cátúil é lá an léin
Ag naomh tráth thrí thine
Roréidh anois ar deireadh
A chré ar bharr a ghoib.

Gníomh, scríobh nó smaoineamh
Fuadaítear an croí le fonn;
Le intinn, scil is scéim
Ruaigtear goin an ocrais.

PÓIT

Is oth linn an briseadh sa tseirbhís—
An slosaí de phíobaire seo is ciontaí
A d'éalaigh de sheáirse soir an t-aiceara
Thrí dhoras na bhflaithis bheaga isteach.

Báille an phléisiúir anseo ag searbháil,
Ag gleáradh le barántas blaoisce
Gála le n-íoc, bille an ríste,
An foláireamh dearg deiridh.

Ga gréine na maidine ansin ina réic
Ag spréacharnaíl ó bhalla go chéile,
An ghaoth cháite i ndeireadh a péice
Séite ag séideadh faoin tsithléig.

Inniu, ní leor gaoth an fhocail
Leis an dos mór támáilte a líonadh;
Lagachan é seo ar an bpíobaireacht
Scherzo beag idir dhá theachtaireacht.

An dá luath in Éirinn is is féidir
Soláthrófar aríst an ghnáthsheirbhís
Idir fios fátha agus fís;
Maitear anois an mant sa soiscéal.

SCÍTH

Tharla an Spiorad Naomh ar stailc
Fágann sin do ghníomh míbhunreachtúil;
Tharla cantal ar rothaí an tsaoil
B'fhearr claonadh ar ais don chathú.

Raiméis é do phort gan rithim
Rais é an fonn gan seoladh
Polca, rumba nó samba
Rúscam raindí é 'chuile shórt.

Anois, ó tharla is gur tharla
An leadrántacht do do shlánú,
Fáisc fonsa pléisiúir i do thimpeall
Fánach ag do leithéid do dhícheall.

Olc is mar atá an cónaí
Dhá mhéad faoi láthair do dhúthracht
'Sea is mó do spáig chun sifil;
Dhá thrian den damhsa a rithim.

Buailfear cois ar an mífhonn,
Spréachfaidh an rithim an chuisle
Léimfidh an braon aníos sa gcoiricín;
Ansin, ní cuimhne leat an scíth.

A chuimhne dhorcha, bí amuigh a deirim!
Dheamhan a dhath de do ghnaithísa
Anois mo ghriogadh, a chancair cheilte
Le do bhuille fabhtach i bhfalach,
An t-urú iomlán ar an tsamhlaíocht—
An geal ina dhubh.

Bí istigh, a chuimhne ghil amháin
I gcumraíocht anamúil an fhéileacáin,
A Éadaoin a rugadh as fíon do rí,
Ina séala ar an ngairdín
Ina séimhiú ar Gheitsemaní—
An dubh ina gheal.

CEOL

Bocht orainn é ina tuilleamaí—
Spleách ar an bhfocal fánach
Dhá fháisceadh is dhá lúbadh
Go sladarúsach dhá múirniú
Le téaltú go dtí an réasún
Taobh thiar den réasún.

Focal ar fhocal bhabhtálfá
Siolla ar shiolla thréigfeá
Gach focal béil beo
Ar streancán den cheol a sheoltar
Ó chuisle go chéile le cuireadh
Go dtí an t-oileán séanta.

Mairg dhúinn i gcleithiúnas
An fhocail shleamhain—
An briathar nár bheathaigh
Bard ná bráthair. Ach
Ó tharla taobh leo muid
Astu a bhainfear ceol.

CEANNRÓDAÍ

Marach ceannródaithe sa mbealach romhainn,
Gan an dream a chuir ann dhúinn is as,
B'fhada an lá muid ag ceann an chúrsa —
Dhá bhfoireasa, ní bheadh muid ann ná as.

Gan cúrsa a thóigeáil ar a long fhada,
Cheal ceannairí feistithe romhainn sa ród
Cé mar a ghearrfaí na tonntracha báite;
Sa marbhshruth acu go fóill gach maraíocht.

Robhréan atá mé den tsaol ar cheann téide
Ag féithiú seasta ar lorg na líne romhainn;
Bá nó basc dhom, seo liom sa tonn bhaiste —
Ar thoradh mo ghaisce feasta mo bhrath!

An ghluaiseacht mhall ár gcomaoin ar a chéile,
An luascadh aerach sa gcocbhád guagach;
Gan as béal a chéile chuile chor in éindí
Ní bheadh an líne seo ann ach as.

CEIRD

Níor phrae dhuit t'amhrán
Ach póg an chliúsaí ina sparán;
Níor shochar dhuit do cheangal
Thar uabhar ag an aingeal,
Prioc i bpioncás scoláire,
Brionglóid bhriosc an phailitéara,
Nó cogar pluid ag buachaill báire.

Céard é stéibh nó streancán
Punt, póg nó pioncás
Ach an chnáimh ar a dícheall
Ach beart an dísle,
Do chlochneart, do cheann finne
Le laiste na leisce a bhaint
D'fhuinneoig gheal na binne?

[23]

AN STRUIPEÁLAÍ

Nach réidh leat feasta do ghnaithe—
Caith dhíot, seas i do chraiceann
Os comhair na muca ciúine amach!

"Cé thú féin ar aon chaoi,"
Arsa suan na muice bradaí
Coistirim ina chaisleán gaoithe.

"Mhaisce, ortsa atá an craiceann bog
Croí ar bhois fios do rúinsa—
'Oiread gaisce leat ag raiseáil!

An t-éadan atá ort, a mhac
I do phléiseam ar fud an bhaile
Le gach sifil seaifil faoi t'anam."

Do dhrogall, ní foláir a choisceadh
Dona an mhaise dhuitse an triosc;
Don ghrá leatromach an troscadh.

Srón muice i dtóin muice leo
I gcion gnotha ciúin a gcró;
Ní léar do chraiceann dearg dhóibh.

I gcruthantas gur dhíobh thú
A míchuntanós; a leathchuma rúnmhar
Do chuid dindiúirí ó na muca ciúine.

A leathcheal do chion den triosc,
An craiceann is a luach i dtaisce,
Dhuitse gnaithe an ghrá in aisce.

CLISEADH

Nar leadránach é an t-airdeall seasta
Ag aireachas ar chlár mo leasa?
Is seacht fearr tamall cuileáilte
I mo chúl le rath.

Céard a dhéanfainn leis an gcraobh
Is mo mheabhair ina clár le sástaíocht
Cocáilte go haerach ar mhuin na muice
Is í chomh sleamhain!

Tá uaisleacht sa titim chun deiridh
Má thograíonn tú féin an tráth le cúlú —
Ach bhí na sluaite ariamh faoi reir le cúnamh:
Go raibh maith agaibh uilig go léir!

MEABHAIR

Ní fiú a ghoil go hiomlán aiste,
Cónaí inti an cleas is fearr;
A míchongar maolintinneach a shásamh
Le geoin bhroinne Eoin Baiste.

An réasún ní féidir a thréiscint
Ach a ghléasadh geábh le léas
Na fuilingte; aon tréas air sin
Is den réaltóireacht déanfar raiméis.

Is amhlaidh atá le mire aigne
Gurb í an urlámh dhian dhaingean is gá;
Gach leathcheann mar a leathcheann eile,
Níl beag beann agam oraibh ann.

Ní leor an spás le tomhais a thóigeáil.
Ach fós tá tábhacht le fásach Eoin
Le súil a bhiorú ar an gcomhluadar;
Ar an gcúlshráid seo is cuideachtúla thú.

[25]

COMPÁS

Is cantalach an cheird í an smúrthacht,
An míchongar casta a mhothúchtáil
Le geáitse, goití is galamaisíocht
Ó chailc go cailc an chíor mheala aníos.

Marach an chailc, cíor gan mil í,
Marach an t-ionnús, an chailc ní fheicfí;
Crú chun tosaigh ar bhonn a chuir
Romhat ar an gcúlshráid do chuideachta.

I sáinn nó teannta i bpóirse caoch
Ogach an chompáis an tuinneadóir;
Lorg an aspail, cailc na carad
I gcruthantas nach snáthaid as marc í.

Bambairneach an ealaíon í an phóirseáil
Ó lorg coise go chéile aníos;
Dhá aistreánaí an casán 'sea is binne
Seinnim na gaoithe thríd an gcíor.

An tsnáthaid chaol do bharántas
I gceo meala seo na cíorach;
Níos lú ná níos mó ní fiú dhuit
An compás dílis i mbannaí ort!

TOMHAIS

Romhaith a thuigim an rithim
Idir shoineann is doineann;
An buille fánach m'údar imní,
An gála gan íoc ina ómós.

Cén chaoi le tobar an phléisiúir
I gcónaí a líonadh go béal,
Síormhéadú ar stór na scléipe
Gan choíchin a chur thar maoil.

Dhá leith mo dhíchill é
Tobar a dhoimhniú is a líonadh,
Bheith meidhreach ag ól na gréine
Gan faitíos mo chroí roimh íota.

Dhá sheasmhaí é do thobar glé
Is ea ba mheasa ar deireadh do thart,
Marach tomhais eile san áireamh
Gur buaine cuimhne an tsásaimh.

OBAIR

A bhitse nach féidir a shásamh—
Fós ní thig liom thú a fhágáil
Ná éalú choíchin as do mhainséar.

A bhean choitianta is rialta
Ar m'alúntas scólta blianta
A rinne slad rofhíochmhar.

Is thú an rálach gan bhogchúis,
Is thú an dúchas do mo sciúrseadh,
An crá i logán na fliúite

Nach bhfuil déanamh agam dá fhoireasa.
Ós gile thusa ná do leathcheannsa
An leadrán lena dhúshlán dusta,

Taibhse de sheanleannán thú,
Ag cheithre phosta mo leapa thú;
Leamh an mhilseacht féin gan thú.

SULT

Dheamhan díomas ar Lúicifear é—
Ach a láimh chaol fhiosrach
A shá aníos go ladarúsach
Faoi sciortaí na cinniúinte.

Ribín réidh anois é
Idir mé is mé féin;
Macnas is sámhas feasta,
Pléisiúr uilig go léir.

Sócamas do na cnámha é
Fáiscfear anois faoin bhféith,
Faoin bhfeoil, le pléascadh
Aríst faoi phléisiúr Dé.

Crochta i ndiaidh líon is lása
Bíogtha ag chuile mhása
Go raibh muid; an t-eolas
Ina aineolas bíodh

Gur muid na soithí cré
Barrphéacach ar bharr aille.
Dhá bharr nó dhá bhuíochas
Nach álainn í mar chré.

RÓPA

Féachadh fuinneamh an phléisiúir—
Cora caislín a rinneadh as éadan;
A dhóthain den fhíochán ní foláir
Le rópa seo an ghrá a ríochan,
Dual ruainneach an tsámhais
Dual cnáibe an chruatain
An t-áthas ina pháirtí thríd.

Fáfall ná fuarú níl i ndán—
Crácamas, cruáil is páis
An fás. Truaí ná cuartaigh.
An grásta uaibhreach luaigh,
Fuagair an t-áthas uaigneach
Is dual. Ní leor an sásamh.
Rópa trí duail é an grá.

II

RÁFLAÍ

Adagio

MONARCHA

(i)

Ar bhuille féin an seacht
Geiteann saol na haibhléise.
Cuirtear bealadh le ioscaidí
An inneallra. Éiríonn gail.
Anonn idir giarsacha iarainn
Tornálann oibrí ina cheannphosta.
Méadaíonn torann is toirnéis
As meaisíní anois ar creathadh
Le barrghéim is spleodar;
Iad dhá mbeophianadh féin
Ag fuireach leis na buidéil.
Ceathrú uaire eile. Déan ann!
Bíodh na lipéid sin faoi réir,
Líon na soithí seo le gliú!
Deifir leat! Ná dóirt an buicéad.
Foraps! Tabhair práisc ort!
Cupla nóiméad eile. Deabhadh
Is tuilleadh trup is tuargaint,
Faghairt cruach i bpáirtíocht
Comrádaíocht rotha is fiacail,
Gail idir thú is an solas
I bpálás laethúil seo na hoibre,
Chuile mhac máthair is iníon
Ag gadráil is ag úmachan
Faoi chomhair na mbuidéil.

(ii)

Hoigh! Siúd é an chéad bhuidéal
Líonta go scrogall le leanna
Na céadtha mílte ina dhiaidh
Mar a bheadh Dia á rá leo
Ar an mbeilt bheo aníos.

[33]

Trup, trap, trup, trap
Claibín do chuile bhuidéal.
Trup, trap, trup, trap
Lipéad do chuile bhuidéal.
Trup, trap, trup, trap
A phearsantacht don bhuidéal
Cabhail is anam i mbuidéal leanna
Ag teannadh leis an meaisín pacála.
Muide a gcuid giollaí.
Seacht n-uaire a chloig le déanamh.
Níl miosúr eile ann. Ní théann
An solas leictreach seo i dtalamh,
Daighean baol ar an aer dúnadh
Ná reasta le claí an fhascaidh.
Seacht n-uaire eile le déanamh,
Níl máistir ná sabhdán
Ina thíoránach mar an clog
Leis an saol taobh istigh
Dhá shanctóir buille.
Trup, trap, trup, trap
Céard a chlog anois é?
Bí ag brionglóidí dhuit féin.

(iii)

Aire dhuit a chloigeann pota!
Thruisleáil buidéil i mbéal
Mheaisín na lipéid. Tá na scórtha
Anois i mullach a chéile.
As ucht Dé ort, stop an bheilt!
Bioraigh ort anois, a chonúis!
Téitear ar bhéal a chéile
Tuigtear anseo an chré
Tuilleadh buidéil, tuilleadh pingineacha.

[34]

Ársaíonn an lá taobh amuigh
Is réabann na buidéil leo
Ar a gcúrsa ceaptha cinnte
Ó chlaibín go lipéad go pacáil.
Plump! pléascann buidéal
Nualíonta. Ní gheitear daoine
Anseo idir dúiseacht is codladh.
Dhearg Turcach nuta de thoitín,
Theann bean na pacála a náprún
Is chrom a conablach liath:
Tuilleadh buidéil, tuilleadh airgid
Tá liodán fada le léamh
De phuchóidí croí nar ligeadh,
De phian nar cuireadh i bhfocla:
Tuilleadh buidéil, tuilleadh pingineacha.

(v)

De réir an aicht, ceadaítear
A oiread seo nóiméid san uair.
Suitear ar bhosca béal faoi,
Scaoiltear cead a scóip le intinn.
Ar chúla téarmaí sa gclasaid
Tá seanscloitéara ag súmáil.
'Smiodaigí!' adeir an réabhlóidí
'A bhfuil de chloig ar domhan'
Ach is strainséartha a theanga
Ná figiúirí an chloig.
Ab eo íochtar ifrinn mar sin?
Féach thall Turcach mná ag gáirí.
Ní féidir ifreann a chruthú
Ach a oiread leis na flaithis.

(vi)

Goideann an clog a bhealach.
Ar tharla an lá inniu?
Bhí sé dorcha. Tá sé dorcha.
Seo seangáin de chuid Lowry
Ina scuaidrín thríd an ngeata
Ag truipéaracht is ag clagsáil
Abhaile.
Siúlann linn an uaisleacht
Nar chlimseáil an clog
Trup, trap, trup, trap.

Oslo 1969

Meandar cuidsúlach, puth as aer,
Nóiméad é as nuaíocht an lae
Ag léimt thar lampa draíocht
Na teilifíse—an príosúnach.
Th' éis dhá bhliain is naoi mí
Saoradh an príosúnach Nugent inniu
As géibhinn na Cise Fada.
     A Thiarna, ab í
An scéin ag damhsa ina shúile a bhain
Dhár lúdracha muid?
     Leanadh don stair:
Le scéal eile as Nicearagua,
An rása deiridh as Nás na Rí.
Cén spás atá ag nuaíocht nó stair?

Mar sin é. Amáireach feicfear
A pheictiúr ar leithmhilliún páipéar.
Nugent an príosúnach a saoradh inné.
Amáireach tá an seomra thiar le réiteach.
Is amhlaidh a clúdaíodh a shamhail
Le scuaid den phéint.
Cén chúis is fiú snig fola
Gan trácht ar bhláth na hóige;
Le cúrsaí reatha an anaim an ceol.

'Sea, cé a bhí i Nugent?
Máirtíreach as an ísealtír
Coipthe ag cúis is cearta
Cromtha faoina dhá bhliain fhichead.
Fós in uafás shúile Nugent
Siúlann an saighdiúr singil deiridh
Stiúgtha, stróicthe i ndiaidh Napoleon;
Is 'chuile chúlmhuintir ariamh ag spágáil,
Ag cúitiú dhúinne ár gcompóirte,
Thrí fhearann fuar na staire.
Ab iad a shúile glórach féin
A chuir an scéin seo ionainn?

GÁIRE

Casadh le fánaíocht dhom inné
Feallsamh déanta de réir a chéile
Is dhá réir sin, glan as a chéill.

Níor ghaimse é an gealt céanna,
Lena chuid smaointe casta géara—
Pointeáilte de réir a réasúin chéasta.

Ag éisteacht leis, théaltaigh an léargas;
Dá chailicéaracht chruinn b'éigean géilleadh.
Is ar éigin éigin bréagtha mé

Nuair a rinneadh gáirí is de léim
D'éalaigh mé liom. Ar ndóigh, ba léar
An gealt aríst de réir a chéile.

BREACLACH

Gluaiseann na sluaite leo is fágann
Ina ndiaidh an fuíoll mar bhotún staire
Le aithrist ortha feasta i meon is i ngnás;
Clár a leasa, dar leo, a bheith dhá réir.
Breac áirithe é an fealsamh ar deoraíocht
Díleachta aimsire idir dhá cheann an mheá
Gan ceann faoi is fós gan tóigeáil a chinn
Ag scríobadh a scéil go ciúin i gcéir a anaim.

Ach b'fhéidir gur hiomaí sin babhta cheana
A scalladh gan choinne léas caol an léargais
Ar bhuilcín corr dítreabhach san Éigipt fadó,
Ar mhanach tuata thiar ag tóigeáil scrathógaí
Ar bhreaclach fhuar in Árainn nó Sceilig Mhíchíl.
Cá bhfios nar aimsigh snáthaid chaol an tsolais
An ceol úd ag seinnim i gcéir a n-anaim?
Scód go scriúta, sheol na sluaite leo.

MIONLACH

Ní in aisce
A chuirtear i dtaisce
Do shaol iomlán
Ar an mionscannán
Ina dtoilleann leabhar na cruinne.
B'fhada an lá
An choinneal faoi bhá
Marach an poll úd —
Marach gur tholl tú
Thrí thaobh na daibhche.
Maireann muid thríd
Ó gheimhreadh go geimhreadh,
Ó shaoi go saoi
Ar chuimhne na coinnle
Ar hóbair dhi múchadh.
Den bhrionglóid an réabhlóid —
Den réabhlóid an bhrionglóid —
I 'chuile smaoineamh
Ionchollaítear
An tsíoraíocht.

AN CLUIFE

Anuasaigí libh den chlaí!
Ó d'éirigh grian na maidine
Ó caitheadh an liathróid isteach
Go dtí an poc báire deiridh
An gníomh an tús, an chríoch :
Alfa agus óimige an tsliotair.
Céardós iománaíocht é sin—
Anuasaigí libh den chlaí!

A phobail Dé amach anseo
Ar chúla ár gcinn dhár ngríosadh
Is sibhse bailithe romhainn
Le eolas i ndiaidh na foghla
Cloistear sibh dhár saghdadh
Fós ní thig linn corraí
De chlaí an eolais anuas.
Foighid oraibh, a phobail is éistigí!
Ní mó le rá aon nóiméad thar a chéile
Tá rún 'chuile ghlúin gan éilim
Nó go n-éistfear.
An cheathrú dheiridh den fhichiú aois
Atá ar suíochan. Anseo i mBaile Átha Cliath
As 'chuile chúige is contae
As 'chuile cheard is clúid
Leithmhilliún againn atá cruinnithe
Lenár seal a bhaint de mhuileann
An chluife.
Leathmhilliún muid den líne
A bhris thrí bhlaosc an tsinsir
Faoi choinne an eolais.
Ó an nimh atá ar aithne!
Ligeadh an cheapach chun báin
Dhúin muid an doras beag deiridh
Is tharraing ar an gcluife craoibhe
Sa gcathair ghríobháin seo 'ainne.
Cén seans é!
Cén t-ádh é gur againne a bhí

Blaiseadh de chrann na haithne,
Úll an tsinsir a smailceadh,
A theacht ar an eolas.
Anseo sa gcathair ghríobháin seo 'ainne
Rábach, ropánta, reibiliúnach
Caitear blianta bláfar na buaice
Sa muileann. Pioctar cleite eile
As péacóig phreabach an tsaoil—
Tá an t-áthas óg is págánach
I siopaí óil Rath Maonais is Ranalaigh.
Saol fada! Saol fada!

Caitear an t-am is caitheann an t-am.
Is ina nduine is ina ndeoraí
Cromann an ghlúin romhainn an ghlúin
Don aimsir is slíocann leo.
Ar saighdiúirí meidhreacha muid
Ag máirseáil?
Clí deas, clí deas.
Saol fada! Saol fada!
Caitear an t-am is caitheann and t-am.
Seo i gcónaí muid ar an eolas
Ar an gcrann céasta a d'fhás muid féin
Ó rinne Durkheim dia den ghruaim.
Más ionann an phearsantacht is dílse
Is páirt ar pháirt i ndráma na cruinne
Scuaidrín cnaipí ar shnáth caol,
Más ionann an fheallsúnacht is sine
Is cleas á bhaint as leas
Cén slánú anois orainn é
Ach sleamhnú linn i mbun na cinnúinte.
Más cluife é seo gan chuspóir
Gan réiteoir, riail ná toradh
Cérbh ionadh muid gróigthe ar chlaí ?

Ar saighdiúirí meidhreacha muid
Ag máirseáil. Cé muid féin?
Clann Mháirtín Shadhbhín Choilm,

Clann Jimí Neansaí Mhánais?
Nuair a bhí Morse ag cur a shreangscéil
Bhí Mánas ag srathrú an asail
Is Colm thiar ar an ngarraí
Ag stócáil.
Seo iad Neansaí is Sadhbhín ar an gcarcair
Ag imirt screaga. I ngan fhios dhóibh
Tá Morse is Nietzsche in aice leo
Ag déanamh gáirí dorcha dóite.
Is Kafka ag tabhairt na gcor
Bhí Máirtín ag bualadh faoin saol.
Muide lucht sloinne is uimhreacha
Ar shlisín sileacóin
Scríofar scéal na linne seo.
Ar ascaill an ghleanna níl filleadh
Ach oiread leis an mbroinn.

Caitear an t-am is caitheann and t-am.
Anseo sa gcathair ghríobháin seo 'ainne
Searbh, stodamach, stuacach
Caitear na piontaí go tóin phoill.
Glaoigh leathcheann eile as cosa i dtaca!
Clí deas, clí deas.
Saol fada! Saol fada!
Labhróidh muid aríst faoi Khafka.
I siopaí óil Rath Maonais is Ranalaigh
Fuagraítear don tsaol 'non serviam'.
Tá muide súbhach sách
Tá muide sásta socúil
Ar chlaí an eolais.

Ar meisce
Le clistíocht
Ar thruisleáil muid i ngrá
Le leadrán na gruaime?
Cailleach an uafáis
Ceanúil ar a cruachás.
An t-uisce amú

I dtromchúis an mhínéigle,
Ar tháinig muid gann
Sa ngreann?
Cá bhfuil fear magaidh na cúirte,
An t-abhlóir a chaochfas súil
Le rí an eolais.
Is amhlaidh ina mbrionglóidí
A bhabhtálanns an t-impire cumhachtach
Is a abhlóir coróin ar chleas.
Rialóidh an rí feasa an claí—
Beidh lucht grinn sa gcluife ceannais.
Tá ráfla anois i Rath Maonais is Ranalach
Gur bhris an dóchas thríd an dúchas.

Ní raibh sa drochmhisneach ach tromchodladh.
Dúiseofar ar ais muid. Lasfar lampa.
Fuist, a leana, ní chumainn bréig dhuit;
Amáireach an lá amáireach.
Clí deas, clí deas
Ní saighdiúirí muid ach gasúir ag spraoi
Ar fud Ranalach is Rath Maonais.
Ag léimt thar lúibíní ár ndáta amach,
Is ann a chonaic muid thríd an ngreann
Anseo sa gcathair ghríobháin seo 'ainne.

A phobail Dé amach anseo
Is sibhse bailithe romhainn—
Bhain an aimsir a gaisneas féin
As pribhléid is pian an eolais.
Níl cead fiafraí againn cén fáth
Ar cuireadh muid tamall den pháirc.
Níl dul thar bhreith an mholtóra
De réir reacht an chluife.
Ní gaire d'intinn Dé
Aon líne thar a chéile.
Do Dhia na Glóire ní gá
Aon eang ar bhata scóir an ama
Le ribeacha ár gcinn a chomhaireamh.

Síos linn den chlaí!
Ó d'éirigh grian na maidine,
Ó caitheadh an liathróid isteach
Go dtí an poc báire deiridh
An gníomh an tús, an chríoch;
Alfa agus óimige an tsliotair.

AN PHIAN

Ní ag an bpian é ach roimpi—
Ina giniúint atá a himní.
Grian íseal Shamhna í an fhuilint
Ar sceabha ag scairteadh thríd
Le solas caolchúiseach na páise,
Do do mhúirniú de do bhuíochas,
Ag láínteacht lena faoiseamh ceannaithe.
Óltar, mar sin, an chailís iomlán.

Ní ag an bpian é ach ina diaidh
Dhá ghéag de chrann na páise iad
Toil is neamhthoil; ina lár sin
Teangmhaíonn an duiniúlacht leis na déithe.
Tá do chinniúint is do dhúthracht
Fuinte le foighid na fuilingte ina chéile;
Leis an aimsir an griandó a mhúchadh.
Leis an gcroí an colm féin a chlúdú.

RÉABADH

Lomchnáimh na fírinne é
Gur fuar í do thóir ar nuaíocht
Milliún uair nó dhó ó shin
Tharla an t-iomlán romhat.

Céard eile atá againn le rá—
An t-iomlán dearg a tharla;
Anseo ar nós páiste spréachta
Réabann muid an bréagán féin.

Céard atá ann ach deideighe—
Goideann an draíocht ón bhfírinne,
Cluifeálann an teas ón bhfuacht,
Bris sa dorchadas é an solas.

Diúgaireacht is ansa linn
An banrán anois an phaidir
Maoin an tsinsir i bhásta
An oidhreacht againn le meath.

'Sé an domblas deiridh é
An leide féin a chailleadh
Gur dhúinne atá ag tarlú
Gach is ar tharla romhainn.

CÉ NACH THÚ NÉARÓ

Cé nach thú Néaró
Go haerach i bhfeighil
A bheidhlín is an Róimh
Á dó; le smúrsacht
Is piardáil cúltseomra
Dhár mbuíochas ransaítear
Teach áirgiúil an iontais.

Fainic lucht cúise is gruaim
A shiúlanns faoi ualach
Sheacht gcúram an tsaoil;
Fáiscthe le meirse
As meisce an amhráin
Fáithscéal do phaisin
An faisean is seasta.

Glan ar an mbastall
Lansáil an tromchúis,
Go humhal luaitear cionta
A rinseáil an t-anam;
Ar uaigneas an strainséara
Fios do rúinsa an laiste—
Ní raibh ionat ach sompla.

III

RUNGAí

Allegro

PAIDIR NA MAIDINE

Sa gcual seo cnámh
Caithigí aríst an t-anam
Ná tréigigí anois muid, a dhéithe
Sibhse a chruthaigh muid as cré.

Sibhse idir sinn is an réasún
Dhár mealladh leis an amhrán bréagach
Dhár sáinniú seasta ina chliabhán
Le slata a bhain muid féin.

Sibhse idir sinn is an leadrán
An scraiste údan de leannán
A ghreamaíonns dhá chéile ár sciatháin,
Den fhuil a dhéananns teara.

Sa gcual seo cnámh
Lasaigí inniu an lampa draíocht.
Ná tréigigí muid anois, a thiarnaí
Sibhse a chruthaigh muid as cré.

FÉILE MÍCHÍL

Cé déarfá leis an ngrian,
Cé déarfá le mo chailín báire
Tar éis ráithe mídhílseacht don samhradh
Siod í anois an scubaid gan náire
Ag adhaltranas leis an bhfómhar.

Tá géim fós sa gcailleach!
Cé eile is féidir linn a rá
Ach más mall is mithid;
Tá fáilte romhat is fiche
A shamhradh beag na Féile Míchíl.

[49]

D

BARR NUAÍOCHT

Lá eile a líon go sloit
Mo chruit le gliondar
Ar mo chuairt faoil a mheandar
Thrí chroí lár na cruinne.

I mo nóinín sa slabhra sí
Idir sliocht is tráth dá raibh
Mise lúib lár an tslabhra
Idir an dá líne.

Ó bhliain Ádhaimh amach
Baineadh cothú as trach
Na páise, is muid ag lúbarnaíl
Idir spréacharnaíl is dusta.

Mar sin, a lucht páipéir is ceamara
(Beidh na deochanna saor in aisce!)
Scríobhaigí tuairisc faoinár ngaisce
Gur shraonaigh muid linn thríd

Gan ach téama amháin a cheiliúradh,
Ár lúib shleamhain sa slabhra;
Ní díocas go macnas damhsa
Phíobaire an aon phoirt.

PARASÓL

Scoitheann sé chuile lá mé
Scinneann tharam sa tsráid
Sciúrtha, bearrtha, súpláilte
Coisméig i ndiaidh a pharasóil.

Éad atá agam leis, d'eile,
Éad údragáil le údarás;
Mise coisméig ina dhiaidh
Eisean i ndiaidh a pharasóil.

Ach féach seantaighe na scoile—
Ar chuimil an tóin sin den bhinse
I mo thóin tráth a chuir loinnir
Dochum glóire Dé is na hÉireann?

Ní caimín siúlach cuideachtúil é
Ach lasc jacaí ar ghorún allais,
Slat a stiúródh ceolfhoireann
A pharasól ag smísteáil roimhe.

Dhár mbuíochas tugtar faoi deara
I súil sceiteach an strainséara
An oiread bróin i mblaosc a chéile
A shnigeálanns an parasól roimhe.

AN PAORACH

Ní ghéillfeadh an Paorach dhá bhacaíl,
Siúd lá eile aige ag réaltóireacht
Faill aríst ar a bhrionglóid bhuile
An nóiméad paiteanta a gheafáil.

Féach ar a bhionda é an Paorach,
An scéal is a chraiceann ag coimhlint
Idir cur is cúitiú; dubh na fríde
É as marc. Dhá mhíle buíochas

Sméid a mhianach ar a chuimhne
Nó go mba mhó é féin ná a nóiméad;
Cuid dár n-ábhar i gcónaí muid
Ní shroichfidh an tsúil thar a cuid.

Dhá ghéireacht í, is ea is mó dhínn
Idir muid féin is an léas.
An Paorach bocht is Heisenberg
Siúl thall, is súil i bhfus!

Na cianta muid ar thóir na rialach
Gur thuig na dúile romhainn í;
De chion do bharúla, déan dóigh,
An té atá bacach, bíodh.

AMHRÁN GAN PHORT

Calógaí móra sa sneachta séite
Nóiméadacha le caitheamh ag ár léithéidí,
Calóig ina scealpóig,
Calóig ina alpóig,
Sneachta nar airigh an bhliain anuraidh.

Is mó an cheist ná a réiteach,
A ndúshlán tugtar ar na déithe,
Triopall treapall,
Cat an dá dhrioball,
Caithfear clocha leis an ngealach.

Gealógaí iad do chuid laethanta farraige
Boilgeogaí i mbrionglóid an tseoltóra,
Bocóideach bacóideach,
Folcánta falcánta,
Falmhófar an fharraige le méaracán táilliúra.

Na blianta an gráinne gainimh,
Na blianta an gaineamh ar thrá,
Proiseach praiseach,
Tromach tramach,
Líonfar 'chuile ghad le gaineamh.

[53]

RÉABHLÓID

Seo milliún bliain bhisigh
Roimh thitim Lúicifir ó sholas
Shulma chruinnigh ceannaithe timpeall
Ar na boird sa teampall,
Shulma díbríodh an t-áthas
Ar thuras na croiche.

Ligfidh muid linn féin aríst!
Slaitín dhraíocht gach meandar
Le cuimhní dorcha a ghealadh;
Comrádaithe muid ag an mbord seo cruinn
Gan a oiread is Iúdás inár measc.
Amáireach an lá nach dtiocfaidh choíchin.

DHOMSA

Dhomsa an mhaighdean mhara—
Cuir an cochall sin i bhfalach!
I nganfhios, sleamhnóidh sí chun farraige
I do staic do leithéid ar thalamh.

Do mo leithéidsa an t-iarann—
Mo chionsa ariamh an miotal síoraí!
Puth aeir is braon anuas
Déanfar smúdar de do chruas.

I bhfus sa ríocht nach é an fonn
An cruthantas féin gur ann is as thú,
Bladar muice é campa na cinnúinte
Do ghnaithesa an poll a aimsiú.

Mol an t-aer, mór as cuimse é,
Méadóidh an comóradh muid fré chéile;
Ceiliúr an t-iarann, mol an mhaighdean mhara,
Den aimhreas déan an phaidir phaiteanta.

SIOD ORT!

Thar éis doiséinne blianta ar an uisce bruite
Líon an crúiscín croíúil ar ais go sloit,
An laoi seanbhiata cuir anois suas in éindí
Thar éis leathghlúin le fán ag scaipeadh péarlaí,
Siúd iad na mic dhrabhlásacha casta ar a chéile!

Dhá phéarla anois muid tite i bhfeoil
Is i bpeaca. Cén scéal orainn é, a dheartháir
Ach seanchailín géimiúil ina suí chun scátháin
Ag comhaireamh na roic, na snáthadaí gréasaí
A cheannaigh a déad feasa, an dusta beag céille!

A chomrádaí as m'óige, cén slám den mhí-ádh,
Cén feall a d'imir gach nóiméad ó chéile orainn —
Ach beag beann i gcónaí muid ar bhlianta éadmhar
Is ár stampa de shíor ar intinn a chéile
Ár mapa ariamh thríd an gcíor mheala aniar.

DÁN DAOR

Feasta ní leor an ghaoth Mhárta
Seasta idir guaig is gaethacha;
An ghuaim an ballasta a mheánns
Nuair a ligtear leis an scód.

Dó an tseaca dó na tine,
Ceol an ghliondair an ceol caointe;
Ar chúla na súlach is gile
Cuirtear an chumha i bhfalach.

Ní lúide an tsaoirse don fhonn
An chraos, an dúil as cuimse
I gcaoineadh cúramach an doird,
Dubhdhomhain ina cheol faoi.

CAT

I lár an tsneachta
Liath is dána
Siod é an cat fáin
Aniar aduaidh orm.

A strainséirín liath!
Ar éigin agam mo chion
De chion don duine.

A ghnaithe gan iarraidh

Ag cuimilt de mo rúitín
I do mhúirnín aníos liom;
Cathaíodóir gan truaí thú
Ar cuairt aniar aduaidh!

Go deimhin dhuit, a choirb
Níl an craiceann bog ormsa,
A rógaire le grá don ailp—
Ach seo é féin ag crónán.

Saorthoil ó Dhia, a deir tú,
Is an dá bhreith mar ó dhia;
Don cheann is fearr ar láíocht
B'fhearr drochsheasamh ná rith.

Chrom mé dhuit is ghéill;
Ar mhaithe linn féin ár gcrónán;
Ionainn féin, ar ndóigh, ár suim
Ós ann a thuigeanns muid a chéile.

Ansin, lá mór an chascartha
Chrap mo chat leis ar aistear;
Cat gan sinsear, cat gan sliocht
A bhailigh siar ó thuaidh amach.

RONDÓ

Ar thóin na locha
Le gealach úr
Snámhann feithide
Is lú le rá
Ná fiú thú féin.
Ar a aghaidh a shnámh;
A fheidhm lán gealaí.

Is an ghealach á cúiteamh
Sin í anois do phéistín
I ndiaidh a tóna,
De réir na gealaí,
Ar nós an scriú,
Tuathal is deiseal,
Cé déarfá leis sin?

Le tóinghealach ní hé
Le rá nach mbítear bréan
De chrá na péisteántacht,
Go háirithe le gealach earraigh
Ní bheadh feithide in araíocht!
Dhá bhfaightí an phaisinéaracht
Le truip go bléin an locha

Le ligean leat féin le sruth,
Cér mhiste róstadh, abair
Coicís ar an gCósta Brava?
In íochtar na locha,
I dtús gach gealaí,
Leanann fós an feithide
Seasta dhá bhigill bíse.

Timpeall ar a chinniúint
Ar a oilithreacht intíre
Snámhann an feithide.

[57]

E

Is lú is fiú á dhílseacht
Ná oiread na fríde.
Snámhann i gcónaí an feithide.

Cé as, ar ndóigh, an fhoghlaim
Ní heolas dhár leithéide.
I dtaisteal geal na hintinne
An fios i nganfhios an fhís.
An fáinne dúchais, dhá mbrisfí
Go brách an rún amú.

CAIRDEAS

Cé hionadh muid i gcónaí sách
Ag an uair annamh fhánach
A fhilltear ag déanamh aeir,
A shíntear aríst le pléisiúr
Faoi ghrian a chéile.

Cé hionadh muid seasta sách
Ag an uair sna naoi n-aird
Ós muid na cairde dílse dlúth
A shá an rúta fada caol
Go dtí an t-uisce.

Cé hionadh é is uisce na beatha
Ag rith ó fhréimh go fréimh,
An t-uisce seo faoi thalamh
Lena mbeannaítear dhá chéile
Domhnach is dálach.

GAIRM

I mbéal álainn na gaoithe
Tá séideoig agus sian
Ag síorghlaoch ar do leithéide.
Go mbí an feothan ina chóir,
Fóill! Fóill!

Tá bréidíní na farraige
Le sméideoig ag tairiscint,
Ag aireachas ar a seans
Ar do shaol ina measc.
Fóill! Fóill!

Tá seangáin fós ag tuineadh leat
Ocastóirí ciúine na haimsire
Do t'fhálú le thú a fhastú,
Do t'fheistiú ina gcomhluadar.
Fóill! Fóill!

Tá cailleachaí dearga ina líne
A gceann tóigthe ar cheap na híobairte
Conspóid, réabhlóid, collóid
A socrú féin mar is áil leo.
Fóill! Fóill!

Tá garraí ar an ngealach earraigh
Ag fanacht le chuile ghealt,
A ghealach chiméarach le cartadh,
Garraí coinleach le cur as a bhán.
Fóill! Fóill!

Ós le linn na bhfear
Do mhisneach ariamh do chlistíocht,
In iothlainn lán an anró
Anseo idir an dá linn
Fóill! Fóill!

[59]

DHUITSE

'Fada an lá í lastáilte.
An long lánúnais go bionda;
Liosta ar bhád seo an áthais
Ar chláraigh muid a chéile air!

A chomrádaí, seo liom chun farraige
Inti a cailleadh gach grian dhearg.
Fágfar go brách an t-aiféal
Faoin dream tácláilte le céibh.

Gach bogadh den tonn tuile
Slat eile é go bun na spéire;
Cead anois ag bíoblóir na gruaime
Longbhriseadh na cinnúinte a lua.

Gach lá is an chomhairle dhá réir
Gadaí mara é an nóiméad féin;
Cuir slán liom nó fág agam é;
A chomrádaí, scar liom gan aiféal.

DHUITSE ARÍST

Ainneoin go bhfuil a fhios ag an lá
Is nach rún é ag an oíche
Go gcúitítear strus le sámhas
Idir leathchúplaí seo an tí;
Dhár súile géara féin
Cuntas reatha an bhoimbéil.

Suaimhníonn leathrata le leathrata
Ag socrú frapa is taca
Faoina chéile; socúil a bpáirtíocht
I dtriantán teolaí an bhoimbéil;
Furasta dhá réir dhóibh a dhearmad
Nach rata é ach dhá leathrata.

Eadrainn i gcónaí is fúinn
An bhearna bhaoil dhodhúinte,
Áit do na déithe adhartha
Is call. Fágtar fúinn féin
Ball don chuimhne is don bhrionglóid,
Spás don pháis faoi leith.

Aithne chasta na tóigeála é,
Mara ndaingnítear 'chaon leathrata
Sa mballa taoibhe, go gcamtar ort
An boimbéil. Láidire mar sin muid
Idir an staidéar is an lúbadh
Caillte in áthas na cúplála.

Fan ort! a shearc mo chroí—
Cén bhrí ach ná maígh
An fireannach is é ar a dhícheall.
Séathlú beag é seo; néal ní foláir
Snáthaidín eile de mo chodlaidín.

Féach, mar sin, le béal bán mé
A bhean néaltraithe, bréag ar ais mé;
Robhog go fóill mé faoi mo chuid —
Ní dhá mhaoímh ort é, a chuid —
I leaba a chéile a bhiorós do leadaí.

Go réidh, a bhean, nó bí féin réidh!
Níl néal sa gceann seo fós ná néal.
Faoi réir muid ar ais i mbéal na toinne
Ar an néal áthais in airde don seáirse
Cruinnthimpeall ar chóstaí na cruinne.

CÉARD SEO?

Céard seo a bhain le Mícheál
Ab' fhiú leat a ionrabháil?
Cén chluain seo beirthe leis
Cén chluasaíocht i nganfhios
A mhuscail fonn a fhíocháin
I do ríocht? Foighid ort!
Tabhair spás dhom, a bhean
Lascaine i bhfiacha do phléisiúir.
Caochtar an tsúil shách—
Geábh anois ar céalachan,
Glaoch i leataobh is gá
Le fás aríst sa bhfásach.

Cén smál sin ort, a dheirfiúr
Cén crá, cén céalachan?
Stampáil athuair mo cheadúnas
I do ríocht. Caith dhíot
Na seacht snáth is falach
Ná fág salach ormsa atá
Chomh mór i n-éad le éadach.
Ar bhfiabhras anois ár bhfuarú—
I bhfeá do bhaclainne atá
Mo mheá den chruinne seo,
I bhfalach i do shásamh reoite
Ceangal do m'amhrán gleoite.

AN GABHA GEAL

Ach a dtiocfadh a dháta ina lá gheal ar ais
Cér chás ag an ngabha geal seo a chnuasach
De chlocha mionuaisle, a chuid clocha bua;
Seacht fearr leis an lá seo ná a scáile.

Ach an bhfuil deireadh anois faoin lá seo ráite,
'Chuile fhocal is cogar sáinnithe ina dhán—
An námhaid eadrainn oiread is siolla feasta,
Sáiteán gan ghnaithe, strainséara inár measc?

An bhfuil teanga an ghabha chomh leisciúil
Nach gcrochfaí a laiste le gaisce is fáilte
Le doras a oscailt, le cur leis an solas
Le glúnta ginealaigh i dtaisce an fhocail?

A fhocal dhuit gurb é an focal an tseoid
Gabha geal dhuit anocht é á gcur i stór,
A intinn chleasach faoi gheasa ag gliosarnaíl
Gach focal ar fhocal dhuit ina sheoid chuimhne.

PÚCA

A phúca na sméar
Cé go léann muid a chéile
Ar réidh leat mo leithéide
Th'éis ar fríothadh de chéim
Den tslis mhín is coláiste—
(Gan na hIosánaí san áireamh).

Mo chion den éilimh bronnadh,
Breith mo bhéil is roghain,
Dochtúr, ollamh nó 'tornae
Lansa, léann nó séala dearg.
Ara, a leithéide de shlais,
A ghiolla sin na mbréag!

Ar dtús ariamh do ragús
An dúthracht gan dearcadh
Nó go ligtear ar ais leat
Dúrún seo an phúca
Nach fiú ina ríocht siúd
Níos lú ná thú féin.

A phúca na sméar
Le do mheamram séasúir
Ná loic anois orm—
An loinnir bain as!
Seo amhrán staire cheana féin;
Amáireach, an sméir mhullaigh.

NEAMHCHODLADH

An t-imní faoin bhfaitíos—
An faitíos faoin imní
Nach ngealfaidh go deo an oíche;
Go mbánóidh de léim an lá
Is na cnámha seo rochróilí.

Gearáil ansin é is cneadaíl
Ó chéim go céim is díchéillí
Ná a chéile; a staonadh féin
Anois ní féidir, ach géilleadh
As éadan don aistíl.

Seo romhat sundaí ina mílte
Ag faoileáil i do thimpeall
Romhat is i do dhiaidh sian
Na gcathaíodóirí ag fonóid—
Crosta ort a gcuideachta síúil.

Do dhualgas é an taobh amuigh,
Do chruachás gan cead suaite
Ar a bhfuaid. Reacht an tslua é
Nach luaitear leo an bua,
An stuaim uaigneach ar leith.

Gleáradh agus húirte háirte,
Do mhuinín ar ball a n-eagla—
Sníomhann leo ar fuaidreamh,
Slíocann leo ar fán,
Gearr uait anois an biorán suain.

AN NAOMH

Nach baol dhom feasta teach an áthais —
An ann a fuair an diabhal bás —
An mbeidh blaosc Ignatius thall ag gáirí
Is cead ropaireacht ag cách?

An gá i gcónaí spoir an uafáis
Dhá dteannadh nó an call
Iompú go humhal le 'chuile smíste
Den mhaide saolta? Cén chaoi

Leis an nóiméad briosc a dheargadh —
É a dheargadh gan a dhó;
Ar an mbád seo idir dhá uisce
Cur ar meisce chun farraige.

Cén druga is gá do mo léasadh
Aníos as bád pléisiúir m'aimléise
Le theacht i dtír i mo phrintíseach
I bpurláin phiolóideacha na naomh?

An méaracha líofa an cheoltóra iad
Na cosa ar dhréimire aerach suas
Le faoileáil linn faoi dheireadh go mall
Chun suain ar bharr na gaoithe?

A ghadaí bhradaigh na croise deise!
Muise, a ghadaí nach thú atá cinnte
Den bhois i gcois ar deireadh
I do chosa fuara go dtí an féasta.

STÉIBH D'AMHRÁN

Stéibh d'amhrán ansin é
Dréimire rite na ndéithe,
Bearna idir na línte
Idir chuile runga an spás.

An spás a bhí gorm is mé
Ar sodar ar dhréimire in airde,
Fíoch na féithe seo in éad
Lé áras geal na ndéithe.

Éacht a dhéanfainn is gaisce
Aicseaneacha uilig go léir
Cén diomar é seo ar na déithe
A gcuid rungaí roghar dhá chéile?

Feadh muid ag éagaoineadh
Shín na rungaí óna chéile
An t-íochtar tuilleadh ón uachtar,
An chéim idir íseal is uasal.

D'fhuaraigh fuil is bhánaigh,
Chruaigh cuisle is cré
Tá glinnte an aeir ina spás
An spás ina dhuibheagán.

Ruibh is fonn na hóige
Nach ndéanfadh cruimh ná cónaí
Snoite, meata, díbheo
Faoi shúil mhór na ndéithe.

Stéibh d'amhrán anois é
Dréimire briosc na ndéithe,
Spás atá idir na línte
Idir chuile runga an bás.

PAIDIR NA hOÍCHE

Bí ag cuimilt mheala dhíom
Déan den fhuil seal codlaidín.
Coigil tine bhruite an chroí 's
Scodal mire sin na smaointe
Le faill don eagarthóireacht is caothúil,
Spás i seomra nuaíocht na hintinne.

Maith mar sin dhúinn anocht na fiacha!
Glanadh dhúinn idir mhorgáiste is riaráiste
Do dheoch dhearmaid. A Dhia, mo chuimhne
Ná dearmad mo bhiorú as mo shuaimhneas.
Ní cheal ómóis é do shíbínsa
Ach mo dhúil nimhe neannta sa taobh i bhfus.

CLÁR NA gCÉADLÍNTE